2 7 2 3 6

1 0 5

1 6 9 4 3

2 0

7 2

4

1 10

8 1 2

4 5

# Kråkes sifferbok

Marie Bosson Rydell
Jessica Lindholm

Gleerups Utbildning AB
Box 367, 201 23 Malmö
www.krake.se

Kråkes sifferbok
© 2003 Marie Bosson Rydell och Gleerups Utbildning AB
Gleerups grundat 1826

Redaktör: Ulrica Lejbro
Illustratör: Jessica Lindholm
Författarporträtt: Robert Bengtsson
Formgivning: Helena Alvesalo

Första upplagan, nionde tryckningen
ISBN 978-91-40-63987-5

Prepress Punkt & Pixel, Malmö 2012
Tryck Exaktaprinting
Bind Kristianstads Boktryckeri AB, 2012. Miljö ISO 14001

# Välkommen till Kråkes värld!

Den här boken handlar om Kråke Larson som är fem år.
Det bästa Kråke vet är att uppfinna, bygga och snickra
ihop saker.

Kråke bor på Grävlingsvägen 10 tillsammans med sin
mamma och pappa. Mamma heter Lena och hon jobbar
på ett kontor. Pappa heter Pelle och han är polis. När
han är hemma står han oftast i köket och lagar mat.

Kråke har två systrar också. Elsa är fyra år. Hon ska bli
prinsessa när hon blir stor, säger hon. Lovisa är två år
och en riktig busunge.

Det där med siffror är spännande, tycker Kråke. Men vad
betyder de och hur ska du veta om du har tre bollar eller
fyra? I den här boken får du veta hur det gick till när
Kråke lärde sig räkna.

# I affären

Nästan överallt finns det siffror. På brevlådor, på sidorna i en bok, på TV:n och på klockor. Men vad betyder de?
Hur många är egentligen sju stycken? Hur ska du kunna veta om du har tre bollar eller fyra?
Det är bra att kunna räkna. Det måste du kunna när du går och handlar, eller spelar spel.

## Kan du räkna?

Kråke har precis lärt sig räkna och nu ska du få höra hur det gick till.

En regnig dag är Kråke på väg till affären tillsammans med pappa. De går förbi en rad med parkerade bilar och pappa frågar om Kråke kan räkna bilarna.

– En, börjar Kråke och pekar på den första bilen, två, tre, fyra, fem …
– Bra, säger pappa. Sedan kommer sex, sju, åtta, nio och …
– Tio!
– Bra Kråke! berömmer pappa. Tio bilar är det!

Kråke tycker att det är roligt att räkna, så de fortsätter att räkna olika saker hela vägen till affären.

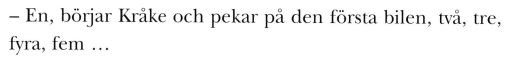

– Titta, viskar Kråke. Där kommer **en** tant.
– Ja, viskar pappa tillbaka. Med **en** rolig hatt.

Ett är lätt att räkna till tycker Kråke. Han letar efter
något som är lite fler.

Då kommer det en farbror med **två** hundar. Kråke frågar om han får klappa hundarna. Det får han. Hundarna viftar på sina svansar och slickar Kråke på näsan.

Hur många svansar är det?

Hundarna har **en** svans var, det blir **två** svansar tillsammans.

Schwish! Några stora pojkar åker förbi på varsin skateboard. De susar nerför backen.

Ser du hur många de är?

Kråke räknar snabbt: en, två, tre. **Tre** stora killar är det.

– Tre stora killar plus en liten, säger pappa och klappar Kråke på huvudet. Hur många blir det?

Kråke tänker efter, en, två, tre … och sedan kommer **fyra**.

– **Fyra**, svarar han.
– Just det! Tre **plus** en blir **fyra**, säger pappa.

$$3 + 1 = 4$$

Kråke och pappa går vidare. De stannar vid ett hus och räknar hur många fönster det finns på huset.

– Ett, två, tre, fyra och **fem**, räknar Kråke.

– Bra, säger pappa, lika många som alla fingrarna på en hand.
– Så många år är jag, säger Kråke och spretar med alla sina fingrar.
– Ja, och nästa år så fyller du **sex** år.

Hur många år är du?

Kråke vet att hans kusin Frida är sex år. Hon går i skolan och kan räkna jättebra.

FRUKT

BANANER
12 90 /kg

PELSINER
15 90 /kg

PÄRON
17 90 /kg

ÄPPLEN
13 90 /kg

SPAGETTI

Nu har de kommit fram till affären. Pappa läser på lappen vad de ska köpa.

– Vi behöver päron, säger han, **sju** stycken.

Pappa håller upp påsen och Kråke lägger i päronen samtidigt som han räknar.

– Ett, två, tre, fyra, fem, sex och **sju** päron.
– Tänk om jag äter upp två, skojar pappa, hur många blir det då?

Kråke tar upp två som han håller i handen och räknar dem som är kvar i påsen.

– Fem, säger han.
– Just det, sju **minus** två är fem.

Kråke lägger ner päronen i påsen igen.

$$7 - 2 = 5$$

# Kråkes sifferbok

När Kråke kommer hem berättar han att han har lärt sig att räkna till tio.

– Det tror jag inte på, fnyser Elsa.
– Joho, säger Kråke och börjar räkna på fingrarna. En, två, tre, fyra, fem, sex, sju, åtta, nio och tio.
– Ha, det kan väl jag med, säger Elsa. En, två, tre, åtta, sex ...
– Nej, du räknar fel, säger Kråke.

Mamma avbryter dem. Hon tycker att det är jättebra att Kråke kan räkna och Elsa kan också lära sig.

– Vi kan väl göra en sifferbok, föreslår mamma, så lär ni er att skriva siffrorna också.

Kråke och Elsa tycker att det är en bra idé och springer efter papper och pennor.

– Vi börjar med ettan, säger mamma. Det är nästan som ett rakt streck.

Hon skriver en stor etta på pappret. Kråke och Elsa får följa den med fingret, uppifrån toppen och ända ner. Sedan ritar de egna ettor.
Det är lätt att rita ettor tycker barnen, nästan lika lätt som att räkna till ett.

– Men tvåan är svårare, säger mamma.

Hon ritar en tvåa och barnen får följa den, från kroken där uppe, nerför backen och så ut på vägen.

– Oj, vad krångligt, säger Elsa.

De skriver tvåor på sina papper och det är ganska svårt.

– Titta, här är två prickar på tärningen, säger Kråke!
– Jag vet hur ett ser ut på tärningen. Det är bara en prick, säger Elsa.

– Vet ni vad det här är för siffra? undrar mamma.
Den är både rak och rund. Först ett streck, sedan
en mage och så sist taket.
– Tak? funderar Kråke. Jag tycker det ser ut som
en keps!

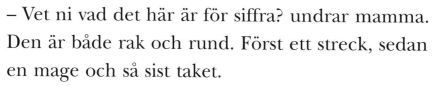

**Vet du vad det är för siffra?**

Det är siffran fem och den ser ut som fyran på
tärningen, fast med en prick i mitten också.

– Sedan kommer sexan, säger mamma. Den är bara rund.

Mamma visar hur man skriver en sexa. Man börjar där uppe, ner i en backe och så svänger man runt in i mitten.

Kråke tycker att det är roligt att skriva sexor, han fyller hela pappret. Sex är det högsta man kan få på en tärning, för sedan har den inte fler sidor.

– Nu är jag trött, kan vi inte äta snart, undrar Elsa och lägger ner pennan.

– Jo, maten är snart klar, säger pappa. Du kan hjälpa mig att duka.

Mamma, Kråke och Lovisa sätter sig i vardagsrummet. Det är inte så många siffror kvar och mamma tror att de hinner skriva klart innan maten.

– Sjuan har ett tak och sedan går det snett nedåt, visar mamma.

Vet du vilken siffra som kommer efter sju?

– Åttan ser nästan ut som en racerbana, säger mamma och ritar en snirklig åtta.

Den var lite svårare, men det är roligt att låtsas att pennan är en racerbil som kör runt banan.

Medan pappa och Elsa stökar i köket skriver mamma och Kråke nior. Nian ser ut som en sexa upp och ned. Kråke vänder på sitt papper med sexor och säger att han redan är klar med niorna.

– Din lille fuskis, säger mamma och skrattar, men hon tycker att det var ganska fiffigt gjort.

– Nu gör vi tian också, sedan går vi och äter.

Siffran tio är egentligen en etta och en nolla. Nollan är som en avlång ring. Om man har noll kronor har man inga kronor alls. Men tillsammans med ettan blir nollan tio.

–Mea bana, säger Lovisa och ritar runda nollor på sitt papper.

– Ja, nollan är ju också som en bana, fast inte lika rolig som åttan, säger Kråke.

De går och sätter sig vid bordet och pappa ställer fram
maten, spagetti med tomatsås.

– Mums, säger Elsa och tar för sig.
– Titta, säger Kråke och pekar på hennes tallrik. Det ser
nästan ut som en nia.

Ett av spagettiståna har böjt sig på tallriken och ser
faktiskt ut som en nia.

– Titta här då, säger pappa och ritar en snygg åtta
med ketchupen.

# Hämta saker

Efter maten hittar Kråke på en lek som heter "hämta saker". Den går till så att man är två lag som ska hämta olika många saker. Det lag som är snabbast vinner. Kråke och mamma är ett lag och pappa och flickorna är ett lag.

– Nu ska vi hämta fyra saker, bestämmer Kråke.

Alla springer iväg och letar efter fyra saker. Efter en liten stund ropar pappa att de är färdiga. De har hämtat en mugg, en gammal strumpa, en boll och ett hopprep. Det blir fyra saker.

– Okej, säger Kråke, ni vann, men nu ska vi hämta fem saker!

– Vi måste räkna dem och se vem som har flest. Vår hög är ju mycket större, säger Elsa.

– Visst, en, två, tre, fyra, fem, sex, sju kuddar, räknar Kråke.

– En, två, tre, fyra, fem, sex, sju och åtta makaroner. Vi vann! ropar mamma.

Konstigt, tycker Elsa. Kuddarna som såg så många ut. Plötsligt rasar alltihop och Lovisa dyker upp ur högen med kuddar.

– Visa vann, säger hon lyckligt mitt bland alla kuddarna.

Sedan vill Elsa gå ut och fortsätta räkna saker där ute.
Alla går ut i hallen för att klä på sig.

– En, tje, tå! Lovisa räknar stövlarna i hallen. Månna,
säger hon.
– Ja, säger mamma, det är många stövlar.

Hur många stövlar är det?

Pappa ställer upp alla stövlarna på en lång rad. De är fem
i familjen och alla har två stövlar var, en till varje fot. Det
blir tio stövlar.

Där ute är det fullt av vattenpölar på marken. Kråke börjar genast segla med sin nya båt i en av pölarna. Den flyter fint. Lovisa sätter sig mitt i en pöl och öser vatten i två hinkar.

Hur många spadar ser du på bilden?

Kråke gräver en kanal från en pöl till en annan så att vattnet kan rinna dit. Båten följer med vattnet som rinner som en fors.

Lovisa och Kråke har så roligt att de glömmer bort leken "hämta saker". Elsa ropar att alla måste hämta två saker var.

Kråke fortsätter att segla med sin båt. Då går Elsa fram till honom och säger att han måste hitta två saker, snabbt!

Kråke sträcker ut handen och tar upp en pinne som ligger bredvid honom. Han håller upp den framför Elsa.

– TVÅ saker sa jag ju, ropar Elsa glatt. Du förlorar!

Då bryter Kråke pinnen mitt itu och vips så har han två pinnar.

– Äh! säger Elsa och skuttar iväg mellan pölarna. Jag var ändå snabbast för jag har två tofsar i håret!

Kan du räkna lika bra som Kråke nu?

Läs fler Kråkeböcker:

**Kråkes Sverigeresa, Kråke i skogen och Kråkes vinterbok finns även som ljudbok.**